Suzette et le Chat Borgne

de Jeanne Fortune

Illustré par
Viktoriia Popova

Editeurs: Cate Hogan et Ana Joldes
Illustrations par Viktoriia Popova
Traduit en français par Christophe Jamot

5Ms Publishing
San Diego, CA
www.fivemspublishing.com

ISBN: 978-1-957072-06-7 (Edition reliée)
 978-1-957072-07-4 (Edition poche)

Numéro de contrôle de la Bibliothèque du Congrès (LCCN):
2021922068

Imprimé aux États-Unis d'Amérique

Ce livre est disponible en anglais, **Suzette and the One-Eyed Cat** et en créole haïtien, **Suzette ak Chat Yon Sèl Grenn Je a**

À tous les enfants qui osent être différents. Acceptez la magie qui est en vous.

Un grand merci à Angela Tucker de The Adopted Life.

Suzette et ses parents adoptifs venaient d'arriver en Haïti pour rendre visite à sa famille biologique pour la première fois. Alors que Suzette et sa mère se lavaient les mains dans les toilettes de l'aéroport, Suzette fixa le reflet de sa mère dans le miroir. Elle ne put s'empêcher de remarquer à quel point elles étaient différentes. Elle se demanda ce qui n'allait pas chez elle. Pourquoi rencontrer la famille qui n'a pas pu la garder? Elle ne voulait pas blesser ses parents adoptifs en faisant preuve de loyauté envers sa famille en Haïti. Elle était peu sûre d'elle et même légèrement effrayée. Elle ne voulait pas se sentir rejetée une seconde fois.

Et si notre rencontre tournait mal? se demanda Suzette.

Suzette et ses parents traversèrent la ville de Port-au-Prince pour se rendre à Les Cayes. Suzette aperçut des vendeurs de nourriture sur le bord de la route.

Ils passèrent par la ville de Delmas, où Suzette vit de jolies maisons.

Puis la campagne de Léogâne, foisonnante de bananes plantains et de canne à sucre.

Bientôt, la chaussée disparut et ils commencèrent à rouler sur un chemin de terre et de pierres. Le trajet était très mouvementé. La route était différente de celles auxquelles Suzette était habituée à San Diego.

Tout à coup, tout le monde eut envie de boire.

"Allons prendre un fresco," dit maman.

Suzette vit toutes ces saveurs colorées et eut envie de les mélanger pour en faire un arc-en-ciel. Ses parents choisirent un fresco à la cerise. Suzette, pour ne pas se sentir différente de ses parents, changea d'avis et prit le même goût qu'eux.

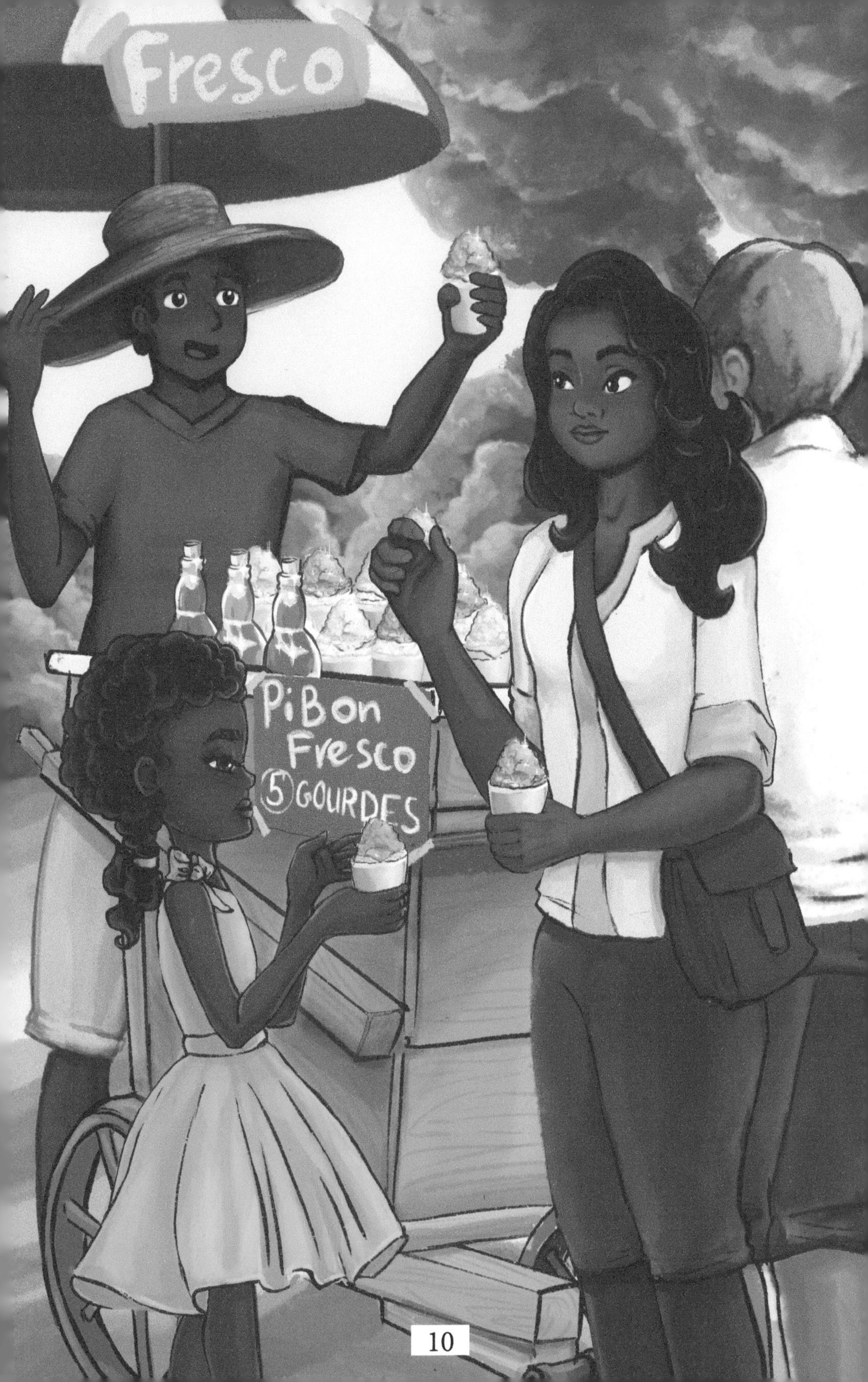
Fresco
Pi Bon
Fresco
5 GOURDES

Le taxi arriva au bout du chemin de terre. Suzette et ses parents montèrent à dos d'ânes jusqu'au sommet de la montagne où vivait sa famille.

Et s'ils ne m'aimaient pas? se demanda Suzette.

Et s'ils me faisaient peur? pensa-t-elle.

Et s'ils avaient des cornes et des dents de vampire? se dit-elle.

Et s'ils avaient de la fourrure sur la peau? s'inquiéta-t-elle?

Et si c'étaient des monstres avec des griffes?

Une fois arrivée au sommet de la montagne, où se trouvait la maison, Suzette serra les mains de ses parents pour se donner du courage. Puis, une belle femme apparut à la porte. C'était la Manman de Suzette.

"Tu dois être Suzette," dit sa Manman en créole haïtien, d'une voix basse.

Suzette regarda les belles et longues tresses de sa Manman. Elle ne put s'empêcher de remarquer qu'elle avait un gros orteil comme le sien. Elle avait aussi un beau sourire avec des dents d'un blanc étincelant. Suzette entendit des enfants rire à l'intérieur de la maison. Les rires provenaient de derrière Manman. Suzette voulait sourire, mais elle se sentait vide et aussi un peu confuse.

Qui sont ces enfants? Mon frère et ma sœur? Si c'est le cas, pourquoi est-ce que je vis à San Diego et eux en Haïti? Comment suis-je arrivée à San Diego? Pourquoi j'ai deux familles?

Toutes ces questions trottaient dans la tête de Suzette. Peut-être qu'elle avait l'air bien à l'extérieur, mais que quelque chose n'allait pas à l'intérieur. Suzette avait beaucoup de questions mais peu de réponses.

Les parents de Suzette avaient apporté des photos d'elle pour les partager avec sa famille. Il y avait des photos d'elle faisant de la danse classique, du vélo ou nageant dans l'océan. Tout le monde se rassembla pour regarder les photos. Ils virent même Suzette souffler les bougies de son gâteau d'anniversaire. Tout le monde pointait du doigt, regardait, riait et parlait. Suzette aurait souhaité être invisible.

Aux Etats-Unis, Suzette s'était toujours sentie un peu différente parce qu'elle ne ressemblait pas à ses parents. Maintenant qu'elle était réunie avec sa famille biologique, elle se sentait encore plus différente même si elle leur ressemblait et qu'elle pouvait parler créole.

Pourquoi suis-je si différente? se demanda-t-elle.

Suzette savait d'où elle venait, mais elle ne savait pas à quel monde elle appartenait. Qui était-elle? Et si elle n'appartenait à aucun monde.

Sur l'une des photos, Suzette grimpait à un arbre. Son frère et sa sœur s'y sont identifiés parce qu'ils aimaient aussi grimper aux arbres.

Ils amenèrent Suzette dans la cour,
et ils montèrent sur un grand amandier
ensemble.

A ce moment-là, un lien se créa entre Suzette, son frère et sa sœur. Ils avaient quelque chose en commun.

Suzette se rendit compte que malgré des vies différentes, ils avaient tout de même beaucoup de choses en commun. Elle joua avec son frère et sa sœur et rit pendant des heures. Ils lui posèrent des questions sur ce qu'elle préférait.

"Tu préfères les mangues ou les oranges?"
"Les mangues," dit Suzette.
"Tu préfères danser ou chanter?" demandèrent-ils.
"Danser, bien sûr," répondit Suzette.
"Tu préfères jouer dehors ou regarder la télé?"
"Regarder la télé," leur dit Suzette.

Suzette remarqua que son frère et sa sœur n'avaient pas les mêmes réponses à ces questions. Son frère préférait danser mais sa sœur aimait chanter. Au début, son frère et sa sœur semblaient avoir les mêmes goûts, et elle semblait différente, mais elle se rendit compte que son frère était très différent de sa sœur. En fait, Suzette réalisa que chacun d'entre nous est différent, et que c'est très bien comme ça.

Assis sous un arbre, un chat borgne apparut soudainement. Suzette se sentit triste pour le chat.

"Comment le chat fait toutes les choses que les chats aiment faire?" demanda Suzette. "Il n'a pas besoin de ses deux yeux pour chasser?"

"Le chat mène une vie normale," expliqua la sœur de Suzette. "Le chat est heureux. Il ne sait pas qu'il n'a qu'un seul œil."

Suzette caressa le chat. Elle commença à se demander si c'était normal qu'elle aussi soit différente.

Suzette et ses parents dirent au revoir à sa famille. Suzette remarqua que les pieds de sa mère étaient couverts de poussière. Son père avait des coups de soleil et transpirait. La robe de Suzette était couverte de terre. Pourtant, tout le monde était heureux.

Le lendemain, la famille de Suzette se joignit à elle et à ses parents pour dîner à l'hôtel. Sa Manman apporta du tomtom.

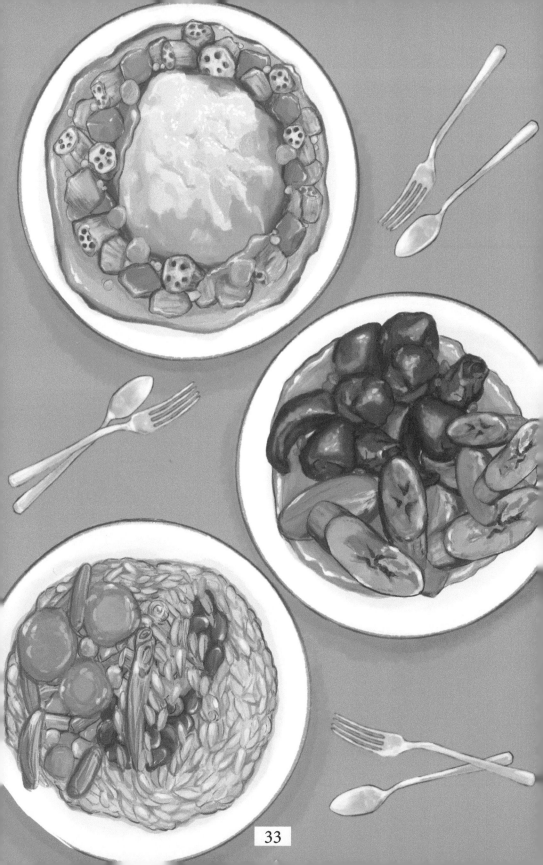

C'est un plat fait avec du fruit à pain et une sauce au gombo. On doit le manger avec les mains et l'avaler, sans mâcher.

Suzette regarda l'assiette de son père, elle était pleine de bananes plantains et de chèvre frites. Ensuite, elle regarda l'assiette de sa mère, remplie de riz, de haricots et de légumes. Sa famille mangeait du tomtom. Elle adorait la nourriture haïtienne parce que sa mère en préparait souvent à San Diego. Son estomac gargouillait. Elle n'avait jamais eu aussi faim.

"Je vais prendre de tout," dit Suzette.

Ils discutèrent et rirent comme une seule et même famille. Ils mangèrent jusqu'à avoir le ventre plein.

Lightning Source UK Ltd.
Milton Keynes UK
UKHW050453080422
401208UK00001B/1